T0006070

L4
ACC. No: 05133417

Cadi a'r Celtiaid

I Cadi, Caio, Mabon, Anna Gwen
a phlant Ysgol Bro Cinmeirch.
Diolch o galon hefyd i Catrin Fflur.

Cadi a'r Celtiaid

Bethan Gwanas

Lluniau gan Janet Samuel

y lolfa

Argraffiad cyntaf: 2019

Diolch i The Bright Group International Limited.

Dymuna'r cyhoeddwyr gydnabod cymorth ariannol Cyngor Llyfrau Cymru.

Rhif llyfr rhyngwladol: 978 1 78461 744 8

Cyhoeddwyd ac argraffwyd yng Nghymru
gan Y Lolfa Cyf., Talybont, Ceredigion, SY24 5HE
e-bost: ylolfa@ylolfa.com
y we: www.ylolfa.com
ffôn: 01970 832304
ffacs: 01970 832782

Mam
Cadi
Y CELTIAID
Mabon

Roedd Cadi a Mabon a'u mam ar eu gwyliau ar Ynys Môn. Diolch byth, roedd yr awyr yn las a'r haul yn gwenu. Doedden nhw ddim eisiau glaw oherwydd gwersylla roedden nhw, nid mewn carafán ond mewn pabell fach goch. Doedd Cadi na Mabon erioed wedi cysgu mewn pabell ac roedden nhw wedi cynhyrfu'n rhacs!

"Waw, mae hyn yn hwyl!" meddai Cadi wrth geisio helpu Mam i osod y babell.

"A Mabon helpu hefyd!' meddai Mabon, ond pan oedd Cadi eisiau iddo fo wthio, roedd o'n tynnu, a phan oedd Mam eisiau i Cadi wthio, roedd hi'n tynnu.

Yn y diwedd, syrthiodd y babell fel crempog ar ben pawb!

Y CELTIAID

Pan ddigwyddodd hynny am y tro cyntaf, roedd pawb yn chwerthin:

"HA HA HA!"

Pan ddigwyddodd hynny am yr ail dro, dim ond Cadi a Mabon oedd yn chwerthin:

"Ha ha!"

Pan ddigwyddodd o am y trydydd tro, dim ond Mabon oedd yn hanner chwerthin:

"Ha."

"'Dan ni'n methu ei neud o, Mam!" meddai Cadi'n flin.

"Wel, tase rhywun ddim wedi colli'r papur oedd yn dangos sut i godi'r babell…" meddai Mam.

Cochodd Cadi: hi oedd wedi gadael i'r darn papur hedfan i ffwrdd yn y gwynt. Wps!

"Ond sut o'n i fod i wybod ei fod o'n bwysig?" meddai, ei cheg fel pig hwyaden.

"O, mi fydd yn haws ei neud o fy hun," meddai Mam. "Cadi, cer i lenwi'r botel ddŵr o'r tap acw."

Ond doedd cario'r botel fawr o ddŵr ddim yn hawdd.

Erbyn i Cadi ddod yn ôl, roedd y babell wedi ei gosod, ac roedd Mam a Mabon wedi rhoi'r sachau cysgu'n dwt ynddi.

"Waw! Mae'n edrych yn gyfforddus!" meddai Cadi, gan daflu ei hun ar ei sach gysgu.

"Cadi! Dim sgidiau yn y babell!" gwaeddodd Mam. "Neu bydd ein sachau cysgu ni'n faw i gyd. Rhaid i bawb dynnu eu sgidiau cyn mynd i mewn, iawn?"

"Iawn, ond, ym… sut ydw i'n mynd i ddod allan heb ddefnyddio fy nhraed?"

Gafaelodd Mam yn un o'i thraed a Mabon yn y llall, ac ar ôl "1, 2, 3!" tynnodd y ddau a saethodd Cadi allan wysg ei chefn.

Wel, sôn am chwerthin!

Wedi cael pnawn hir, braf ar y traeth, yn nofio a chwarae pêl a gwneud cestyll tywod nes bod yr haul ar y gorwel, dywedodd Mam:

"Dowch, blantos! Mae'n amser mynd adre!"

"Ond Ma-am!" meddai Cadi.

"Cadi, paid â gwneud hen dwrw gwirion!" meddai Mam. "Pan wyt ti'n gwersylla, mae'n haws gwneud swper a molchi cyn iddi dywyllu. Tyrd, caria'r fasged bicnic."

Ond roedd y llwybr yn serth a'r fasged yn drom (er eu bod wedi bwyta'r bwyd i gyd) ac roedd Cadi wedi blino.

"Ma-am, ga i newid y fasged efo Mabon? Dim ond bwced a rhaw mae o'n eu cario."

"Na, Cadi, mae'r fasged yn llawer rhy fawr i Mabon. Tyrd, 'dan ni bron yna."

Ochneidiodd Cadi a gwneud ceg pig hwyaden eto.

O'r diwedd, dyma nhw'n cyrraedd y babell. Ciciodd Cadi ei fflip fflops i ffwrdd a disgyn ar ei stumog ar ei sach gysgu. Roedd hi eisiau cysgu am wythnos. Ond ar ôl deg munud, roedd llais ei mam fel utgorn yn ei chlustiau.

"Cadi a Mabon! Dowch i helpu i baratoi swper!"

Roedd golchi'r letys a'r tomatos yn waith diflas ac roedd Mabon yn sblasio dŵr i bob man.

"Mabon, ti'n boen!" meddai Cadi.

Ar ôl swper, roedd Cadi a Mabon eisiau chwarae ar eu beics, ond:

"Cadi a Mabon! Dowch i helpu i olchi'r llestri!"

Roedd sychu'r llestri yn waith diflas ac roedd Mabon yn mynnu golchi ei lorri las.

"Dwi wedi cael digon," meddai Cadi gan roi'r lliain sychu llestri ar y bwrdd ac estyn am ei beic.

"Ond Cadi, dwyt ti ddim wedi gorffen," meddai Mam.

Ochneidiodd Cadi a dechrau sychu eto, gan rowlio ei llygaid fel dwy farblen mewn powlen.

“Dyna ni, wedi gorffen,” meddai Mam. “Mi wna i gadw bob dim, a cer di a Mabon i gael cawod.”

“Ond Mam, ’dan ni ddim yn fudur,” protestiodd Cadi. “’Dan ni wedi bod yn y dŵr drwy’r pnawn!”

“Ac yn dywod a halen i gyd! Dwi ddim isio tywod yn y babell, Cadi…”

Roedd ceisio cael Mabon i mewn i’r gawod yn drafferthus ond roedd ceisio ei gael o allan wedyn hyd yn oed yn fwy o drafferth! Ond o’r diwedd, roedd y ddau’n sych ac yn ôl yn y babell. Doedd Cadi ddim yn hapus – doedd hi ddim wedi disgwyl gweithio mor galed ar ei gwyliau. Ond pan ddarllenodd Mam stori iddyn nhw am hanes y Celtiaid yng Nghymru, aeth i gysgu gyda gwên ar ei hwyneb.

Cafodd Cadi ei deffro gan sŵn pitran-patran uwch ei phen. O, na, roedd hi'n bwrw glaw! Roedd hi'n gorfod gwisgo côt law i fynd i'r tŷ bach! Ond roedd hynny'n hwyl, ac roedd bwyta brecwast yn y babell fach yn hwyl hefyd.

Ac roedd mynd am dro yn y glaw yn hwyl i ddechrau, ond ar ôl hanner awr, roedd Cadi wedi blino.

"Mam, mae 'nhraed i'n brifo," meddai. "Pam na fyddech chi wedi gadael i mi ddod â'r beic?"

Wedyn, "Mam, mae 'nghoesau i'n brifo. Aw!" meddai, gan eistedd fel brechdan ar ochr y ffordd, wedi llyncu mul anferthol.

Doedd Mam druan ddim yn gallu cario Mabon *a* Cadi! Edrychodd o'i chwmpas a gweld arwydd yn dweud 'Ystafell Gladdu Bryn Celli Ddu'.

"Dowch, awn ni i fan'na am dro," meddai, gan dynnu Cadi ar ei thraed.

"Ystafell Gladdu?" meddyliodd Cadi.

Ar ôl pum munud arall o gerdded, roedd y glaw wedi peidio ac roedden nhw wedi cyrraedd bryn bychan siâp powlen, gyda chylch o gerrig o'i gwmpas.

"Be ydi o, Mam?" gofynnodd Cadi.

"Mae o'n hen iawn, wedi ei godi bum mil o flynyddoedd yn ôl," meddai Mam, "ac maen nhw'n meddwl mai lle i gladdu pobl wedi marw oedd o."

"Be? Yn y twll?" meddai Mabon gan bwyntio at dwll rhwng y cerrig yn y bryn.

"Wel, ia, am wn i," meddai Mam.

"Yyy! Oes 'na esgyrn pobl yna?" gofynnodd Cadi, a'i llygaid fel soseri.

"Ddim rŵan, nag oes, ond roedd 'na rai, ar un adeg."

"Ieee! Gawn ni fynd i mewn?" meddai Mabon, gan fownsio o un droed i'r llall.

"Wrth gwrs," meddai Mam, ac i mewn â'r tri i'r twll tywyll, heibio dwy garreg fawr, oer. Ar ôl mynd drwy rhyw fath o gyntedd tywyll, roedden nhw mewn stafell fechan gron.

"Dychmygwch sut bobl oedd yma bum mil o flynyddoedd yn ôl," meddai Mam, gan redeg ei dwylo yn araf dros y cerrig.

"Pobl wedi marw," meddai Cadi gan rwbio ei breichiau.

Roedd hi'n oer.

"Roedd y bobl adeiladodd o yn fyw, siŵr!" chwarddodd Mam. "A'r bobl fu yma am filoedd o flynyddoedd wedyn, fel y Celtiaid. Dychmygwch sut oedden nhw'n edrych, sut oedden nhw'n byw, beth oedden nhw'n ei fwyta..."

"Sôn am fwyta, dwi'n llwgu," meddai Cadi, oedd ddim yn meddwl llawer o'r lle.

"Iawn, gawn ni bicnic ar y gwair y tu allan," meddai Mam yn siomedig.

"Sbïwch! Mae sgwigls ar y garreg!" meddai Mabon, oedd wedi gweld carreg fawr yn sefyll fel sowldiwr yr ochr arall i'r bryn.

"Sgwigls babi," meddai Cadi.

"Darluniau ein cyndeidiau ni!" meddai Mam. "Y Celtiaid efallai? Mae'r sgwigl yma'n debyg i drisgell."

Ond doedd Cadi ddim yn gwybod beth oedd trisgell, a doedd dim diddordeb ganddi chwaith.

Pan oedden nhw wedi gorffen eu brechdanau, meddai Mam,
"Cadi, dwyt ti ddim yn meddwl llawer o Fryn Celli Ddu."
"Twll ydi o," meddai Cadi.
"Ond twll llawn hanes! Does gen ti ddim diddordeb mewn hanes?"
"Does dim byd i'w weld, Mam. Ac mae'n damp ac yn dywyll."

Soniodd Mam fod y lle wedi ei godi fel bod golau'r wawr i'w weld drwy'r twll ar ddiwrnod hiraf y flwyddyn.

"Be ydi 'wawr'?" gofynnodd Mabon.

"Pan mae'r haul yn codi yn y bore. Felly, ar fore hiraf y flwyddyn, mae'r haul yn dod drwy'r twll ac yn llenwi'r lle â golau. Dyna glyfar, yndê?" meddai.

"O, mae hynna'n fwy diddorol," meddai Cadi. "Pryd mae diwrnod hiraf y flwyddyn?"

"Mis Mehefin," meddai Mam, gan edrych ar ei ffôn symudol. "W! Mehefin 21 – fory!"

"Gawn ni ddod yma bore fory i weld?" gofynnodd Cadi.

"Pan mae'n gwawrio? Mae hynny cyn pump o'r gloch y bore yr adeg yma o'r flwyddyn!" chwarddodd Mam. "Mi fyddwn ni'n cysgu'n sownd!"

"Ond mi wna i ddeffro!" meddai Cadi.

"Paid â bod yn wirion, Cadi! A ph'run bynnag, 'dan ni'n mynd am dro i Ynys Llanddwyn bore fory."

"Mwy o gerdded? O, Ma-am!"

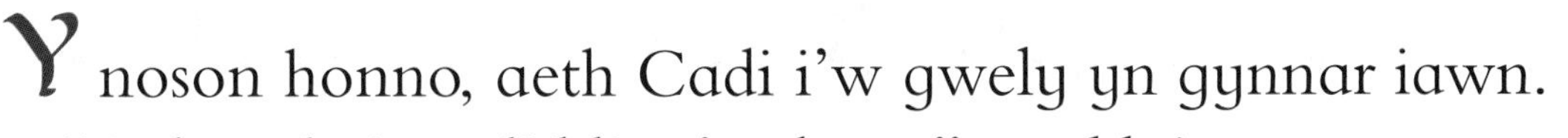

Y noson honno, aeth Cadi i'w gwely yn gynnar iawn.

"Achos dwi wedi blino'n rhacs," meddai, pan edrychodd ei mam yn hurt arni.

Yn slei bach, gosododd Cadi'r larwm ar y ffôn gafodd hi'n anrheg Nadolig ar gyfer 04.00 a'i roi yn ei sach gysgu fel y byddai'n gallu ei deimlo'n crynu.

Roedd hi fel bol buwch pan grynodd y ffôn ond roedd Cadi wedi mynd i'r gwely yn ei dillad.

Sleifiodd allan o'r babell heb ddeffro neb.

Dringodd ar ei beic, gwisgo ei helmed a'i lamp pen a phedlo yn yr hanner tywyllwch i gyfeiriad Bryn Celli Ddu – sy'n beth gwirion a pheryglus wrth gwrs, ond doedd dim ceir o gwmpas, diolch byth.

Pan gyrhaeddodd Cadi'r bryn, roedd giât haearn ar draws y twll, a honno wedi ei chloi! O, na!

Ond roedd Cadi'n fach ac yn ystwyth a llwyddodd i wasgu ei hun drwy'r twll cul a dringo i lawr yr ochr arall. Roedd hi'n dawel, dawel, ac yn oer iawn y tu mewn ond doedd arni ddim ofn, er bod ei chalon yn curo fel drwm!

Edrychodd Cadi ar ei ffôn, roedd hi'n 04.35. Trodd i wynebu'r twll ac aros am y wawr.

Pan welodd y golau yn cripian yn araf ar hyd y cerrig, gwenodd fel giât. Daeth yr haul yn bellach ac yn bellach i mewn, yn gryfach ac yn gryfach, a phan gyffyrddodd y golau yn Cadi…

Bang!

Clywodd sŵn gwynt mawr. Teimlodd ei phen yn troi a'i llygaid yn cau a syrthiodd yn araf i'r llawr. O, na!

Pan agorodd Cadi ei llygaid, roedd pâr o draed budron o flaen ei thrwyn. Cododd ei phen a gweld coesau – a wyneb yn sbio arni. Plentyn oedd yno, gyda gwallt hir, golau mewn plethen. Roedd plentyn arall wrth ei hochr, fymryn yn dalach, gyda gwallt brown.

Cododd Cadi ar ei thraed. Roedden nhw'n sbio arni – o'i threinyrs piws a'i throwsus pen-glin i fyny at ei chrys-T glas ac yn ôl i lawr. Edrychodd hithau arnyn nhw: roedd eu dillad yn od, yn lliwgar ac yn debyg i sach.

"Helô, pwy dach chi?" meddai Cadi.

"Cai ydw i," meddai'r bachgen tal mewn sach las.

"A Heledd ydw i," meddai'r ferch mewn sach werdd. "Pwy wyt ti?"

"Cadi. Pam ydach chi'n gwisgo dillad mor rhyfedd?"

"Y? Ti sy'n edrych yn rhyfedd!" meddai'r ddau, gan chwerthin.

"Wnaethoch chi ddringo dros y giât hefyd?" gofynnodd.

"Y? Pa giât?"

"Yr un wrth y —" dechreuodd Cadi bwyntio, ond doedd dim giât yno.

Brysiodd at geg y twll a gweld pobl eraill mewn dillad rhyfedd, lliwgar y tu allan. Ac roedd y ffens o amgylch y bryn wedi diflannu – a'r ffermdai a'r beudai, a phob polyn trydan. A'i beic a'i helmed! Ac roedd coedwig drwchus wedi tyfu o gwmpas y bryn dros nos…

Edrychodd Cadi ar ei ffôn ond roedd y sgrin wedi marw.

"Pam dach chi yma?" gofynnodd Cadi yn nerfus.

"Ni? Rydan ni wedi dod i addoli'r haul fel y bydd ein pobl ni'n gwneud bob blwyddyn ers canrifoedd."

"O? A pa flwyddyn ydi hi rŵan?" gofynnodd Cadi.

"Blwyddyn y Blaidd wrth gwrs!" chwarddodd y ddau.

"Rwyt ti'n un ryfedd, ond rwyt ti'n ddigri," meddai Heledd. "Mae'r seremoni wedi gorffen, felly hoffet ti ddod adre gyda ni? Mae'r afr wedi cael y babis delaf erioed!"

Doedd Cadi erioed wedi gweld babis gafr, felly nodiodd yn frwd.

Dilynodd Cadi'r ddau am filltiroedd nes bod ei choesau yn sgrechian, ond roedd Heledd a Cai yn cerdded a neidio a bownsio fel dau gi bach – heb esgidiau.

"Mae Mam wedi gwneud esgidiau i mi," meddai Heledd. "Maen nhw'n iawn yn y gaeaf, ond mae'n well gen i fynd hebddyn nhw yn yr haf."

O'r diwedd, pwyntiodd Cai at bentref bychan o dai crwn, to gwellt ar ben bryn.

"Dyna lle rydan ni'n byw," meddai.

"O na, bryn arall!" ochneidiodd Cadi. "Pam mae angen byw ar ben bryn?"

Meddai Cai, "Mae llwythau eraill yn ymosod arnon ni weithiau a dwyn ein hanifeiliaid, ond o fyny fan hyn, mae'n haws i ni eu gweld nhw'n dod o bell, ac amddiffyn ein hunain."

"A thaflu cerrig a gwaywffyn atyn nhw!" meddai Heledd.

Roedd wal uchel o gwmpas y pentref, ac wedi mynd drwy'r giât bren uchel, gwelodd Cadi fod moch a ieir a geifr a defaid a chŵn lliw coch ar hyd y lle – a thair gafr fechan ddel ar y naw, ac un yn ceisio bwyta treinyrs Cadi!

Dilynodd Cadi ei ffrindiau newydd i mewn i un o'r tai crwn. Roedd lle tân crwn yng nghanol y stafell, a'r mwg yn mynd allan drwy dwll yn y to.

"Helô, Mam," meddai Heledd a Cai. "Dyma ein ffrind newydd. Ydi'r cawl yn barod?"

"Bron iawn – bydd yn blasu'n well efo chydig o arlleg y geifr sy'n tyfu wrth y nant. Ewch chi i nôl peth, a geith eich ffrind aros fan hyn efo fi i wneud bara ceirch."

Erbyn i'r plant ddod yn ôl gyda dail gwyrdd arogl nionod, roedd Cadi a Buddug yn cymysgu ceirch gyda dŵr a saim mochyn, a'u gwasgu'n gylchoedd rhwng eu dwylo.

O, roedd y cawl a'r bara yn flasus!

"Iawn, i ffwrdd â chi i weithio," meddai Buddug.

Roedd Cadi hefyd yn gorfod gweithio. Roedd bwydo'r anifeiliaid a'u hel i'r gorlan yn hwyl, ond roedd malu ceirch gyda dwy garreg fawr i wneud blawd yn waith caled. Ar ôl ugain munud, roedd Cadi wedi cael llond bol ar y gwaith diflas.

"Hmm… iawn, helpa ni i addurno'r tarianau efydd yma 'ta," meddai Buddug.

Dangosodd iddi sut i guro'r efydd gyda darn cul o haearn a charreg, ac yna sut i greu patrwm trisgell hardd, fel yr un roedd hi'n ei wisgo ar gadwen am ei gwddf. Roedd Cadi'n gwneud ei gorau glas ond roedd ei phatrymau hi'n flêr.

"Yyyy! Dwi ddim yn gallu ei neud o!" meddai'n flin.

"Cadi, mi wnes i gant a mil o gamgymeriadau cyn gallu gwneud trisgell fel hyn," meddai Buddug. "Mae angen llawer o ymarfer i ddysgu sgiliau newydd."

"Ond mae o mor ddiflas ac mae fy meddwl i'n crwydro o hyd!" meddai Cadi.

"Rhaid i ti ddysgu canolbwyntio," meddai Buddug. "Ond rŵan, mae'n tywyllu, felly gwely amdani."

Mwsog a rhedyn oedd y gwely, oedd yn cosi Cadi'n ofnadwy, a chrwyn anifeiliaid oedd drostyn nhw, oedd hefyd yn cosi. Roedd rhywun yn chwyrnu a rhywun arall yn pwmpian bob munud, ac un o'r cŵn coch yn llyfu ei hwyneb bob hyn a hyn. Roedd Cadi'n meddwl na fyddai byth yn cysgu. Ond y peth nesa, roedd ceiliog yn canu "Coc-a-dwdl-dŵŵŵŵ!" a phawb yn codi ac yn mynd i ymolchi yn y nant.

"Oes gynnoch chi bâst dannedd?" gofynnodd Cadi.

Edrychodd pawb yn wirion arni. Doedd dim tŷ bach chwaith, mynd y tu ôl i goeden roedd pawb! Felly gwnaeth Cadi yr un fath.

"Blant, ewch â Cadi am dro i ddysgu canolbwyntio," meddai Buddug.

Aeth Heledd a Cai â hi i lawr i'r traeth. Eisteddodd y tri yn edrych allan ar y môr.

"Beth wyt ti'n ei weld?" gofynnodd Cai ar ôl pum munud.

"Y môr."

"Edrycha yn iawn. Pa liwiau weli di?" Yn araf bach, sylweddolodd Cadi ei bod yn gweld llawer mwy o liwiau na glas y môr.

"Rŵan cau dy lygaid," meddai Heledd. "Be glywi di?"

"Y môr," meddai Cadi. "Sŵn y tonnau yn torri ar y traeth."

"A be arall?" Yn araf bach, sylweddolodd Cadi ei bod yn clywed llawer mwy na sŵn y tonnau, a bod canolbwyntio ar y synau yn deimlad braf.

Ar ôl casglu broc môr ar gyfer coed tân a dal crancod ar gyfer eu cinio, aeth y tri am dro i'r goedwig. Wrth ganolbwyntio, roedd Cadi'n gweld mwy na choed a mwsog – aeron a madarch yn sgleinio, morgrug a phryfed yn crwydro, pilipalod yn hedfan, llygod yn cuddio, a llyffantod yr un lliw â'r mwsog!

Yna caeodd ei llygaid a gwrando'n astud. Gallai glywed y ceirw'n bwyta mes, y wiwerod yn bwyta mefus gwyllt a'r gwenyn yn creu mêl. Ac yna, clywodd sŵn traed yn torri brigau yn y pellter. Agorodd ei llygaid a gweld rhywbeth yn symud yn y coed: dynion â wynebau glas gyda gwaywffyn a tharianau, yn symud yn slei. Cododd Cadi ei bys at ei cheg a phwyntio i'w cyfeiriad.

Agorodd Heledd a Cai eu llygaid yn fawr, fawr.

"Nid ein pobl ni ydyn nhw!" sibrydodd Cai. "Mae pobl yn gwisgo paent glas pan maen nhw'n mynd i ymladd."

"Rhaid i ni redeg adre fel y gwynt!" meddai Heledd.

Rhedodd y tri yn ysgafn drwy'r coed, gan neidio dros fonion coed a nentydd, a dringo dros greigiau, ymlaen ac ymlaen, nes bod coesau ac ysgyfaint Cadi'n sgrechian. Ond roedd rhywbeth yn gwneud iddi beidio â rhoi'r ffidil yn y to. Roedd hi'n rhedeg fel carw!

"Brysiwch! Dewch â'r anifeiliaid i'r gorlan!" gwaeddodd Cai. "Mae 'na ladron ar y ffordd! Roedden nhw yn y goedwig! Dynion yn baent glas i gyd!"

Brysiodd pawb, gyda help y cŵn coch, i hysio'r anifeiliaid i fyny'r bryn ac i mewn i'r gorlan. Yna, aeth pawb i chwilio am waywffon neu bastwn neu gerrig i'w taflu, yna cuddio, ac aros…

Cafodd y lladron andros o sioc! Roedd pobl y pentref yn taflu cerrig atyn nhw o bob cyfeiriad – cerrig mawr, poenus, a'r plant yn taflu cerrig bach pigog iawn! A'r dynion yn aros efo'u cleddyfau…

"Aw! Aw, AAAAWWWW!" sgrechiodd y rhyfelwyr, gan droi am yn ôl. "Cadwch eich defaid a'ch moch!"

"Haaa! A pheidiwch â meiddio dod yn ôl!" gwaeddodd Heledd.

Roedd pawb yn hapus iawn gyda Heledd a Cai am eu rhybuddio mewn pryd.

"Cadi welodd nhw," meddai Cai. "Iddi hi y dylen ni ddiolch."

Gwenodd pawb ar Cadi a diolch iddi am eu hachub.

"Rhaid i ni ddathlu!" meddai Buddug. "Dawnsio a chanu a gwledda!"

Roedd Cadi wrth ei bodd yn dawnsio a chanu, ond roedd hi'n poeni gormod am ei mam a Mabon i fwyta llawer. Edrychodd allan ar yr haul yn machlud dros y môr.

"Be sy'n bod?" gofynnodd Heledd.

"Dwi ddim yn gwybod sut i fynd adre," meddai Cadi'n drist.

"Hm, dwi'n meddwl bod 'na ffordd," meddai Cai. "Mae cyfle i fymryn bach o haul gyrraedd y tu mewn i Fryn Celli Ddu efo'r wawr eto bore fory. Ond os collwn ni'r cyfle bydd rhaid i ti aros am flwyddyn."

"Ond – ond mi fydd hi'n dywyll! Allwn ni gyrraedd mewn pryd?" gofynnodd Cadi.

"Os wyt ti'n meddwl y gelli di redeg heb roi'r gorau iddi."

"Mi wna i 'ngorau!" meddai Cadi. "Diolch, bawb!"

Aeth Cai a Heledd ac un o'r cŵn coch gyda Cadi, ac roedd digon o olau o'r lleuad i weld ble roedden nhw'n mynd. Roedd hi'n dywyllach yn y goedwig, a'r cysgodion fel ysbrydion, a'r brigau'n crafu eu croen. Baglodd Cadi dros gerrig a brifo ei phen-glin ond brathodd ei gwefus a dal i fynd.

Roedd yr awyr y tu ôl iddyn nhw yn dechrau goleuo ac roedd coesau ac ysgyfaint Cadi yn sgrechian, ond daliodd i fynd.

O'r diwedd, roedd Bryn Celli Ddu o'u blaenau. Roedd yr awyr y tu ôl iddyn nhw yn felyn ac oren a'r ci coch yn cyfarth wrth sodlau Cadi.

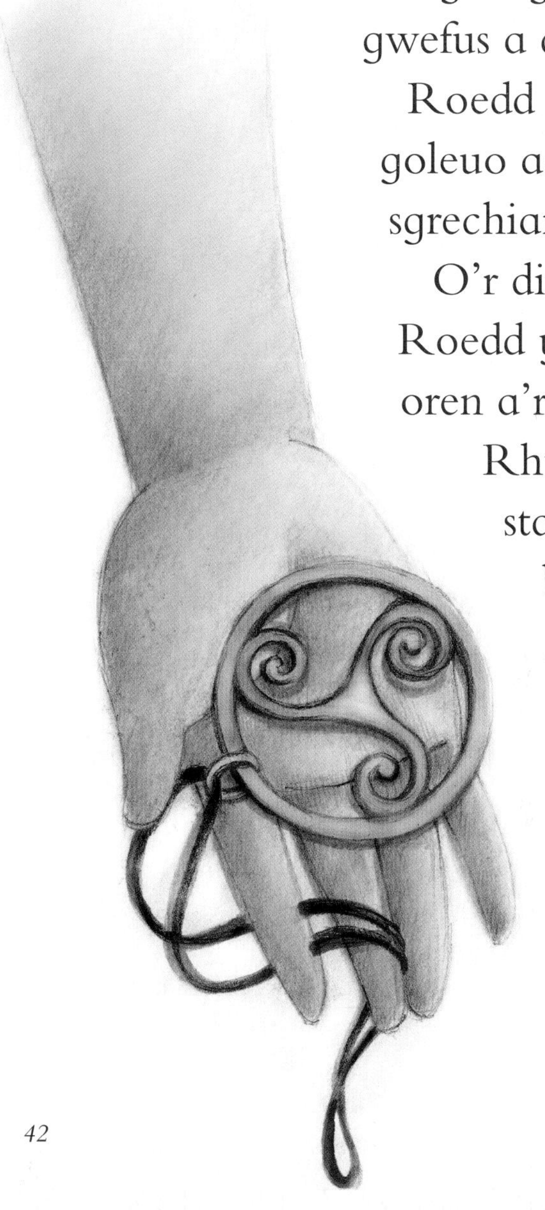

Rhuthrodd Cadi drwy'r agoriad i mewn i'r stafell gron. Trodd yn ôl i wynebu lle byddai'r haul yn taro. Brysiodd Heledd i mewn ar ei hôl a rhoi rhywbeth yn ei llaw.

"Anrheg i ti," meddai, cyn rhoi cwtsh sydyn iddi a brysio allan.

Roedd bys bychan, tenau o heulwen yn cripian i mewn drwy'r agoriad. Gwasgodd Cadi ei hun yn erbyn y cerrig er mwyn i'r haul gyffwrdd ei chroen, ac yn sydyn…

Clywodd sŵn gwynt mawr. Roedd ei phen yn troi a'i llygaid yn cau a syrthiodd yn araf i'r llawr.

Pan agorodd Cadi ei llygaid, gwelodd fod ei phen-glin yn gwaedu a bod cadwen â thrisgell efydd arni yn ei llaw. Brysiodd o'r cwt cerrig a gweld y ffens, a'r ffermdai – a'i beic! Ieeee! Roedd ei ffôn yn gweithio hefyd! Gwisgodd y gadwen am ei gwddf, rhoi ei helmed ar ei phen a phedlo fel peth gwirion am y gwersyll.

Pan ddeffrodd Mam, roedd Cadi wedi paratoi brecwast hyfryd o frechdanau banana a siocled – ffefryn Mabon. A Cadi oedd y cyntaf i glirio a golchi'r llestri!

"Ble gest ti'r gadwen fach ddel 'na, Cadi?" gofynnodd Mam.

"Anrheg i chi ydi hi," meddai Cadi.

Roedd gweddill y gwyliau yn wych: roedd yr haul yn disgleirio bob dydd a wnaeth Cadi ddim cwyno na rhoi'r ffidil yn y to unwaith.

Bob tro y byddai Cadi'n diflasu ar ganol tasg, neu'n gwneud camgymeriad ac yn meddwl rhoi'r gorau iddi, byddai siâp trisgell yn ymddangos yn y cymylau uwch ei phen.

Wedyn byddai Cadi'n gwenu ac yn dechrau eto.